Crime
à Cannes

Editions Maison des Langues, Paris

Collection
« Alex Leroc, journaliste »

Auteur
Christian Lause

Édition
Agustín Garmendia et Aurélie Carré

Conception graphique et couverture
Cay Bertholdt

Illustrations
Javier Andrada

Enregistrements
Voix : Christian Lause
Coordination des enregistrements : Mireille Bloyet
Studio d'enregistrement : CYO Studios

Remerciements
À Carine Bossuyt pour son aide et ses conseils.

ISBN : 978-84-8443-394-1
Dépôt légal : avril 2008
Réimpression : octobre 2012

Imprimé dans l'UE

www.emdl.fr

Crime à Cannes

Christian
Lause

collection

Alex Leroc,
journaliste

Alex Leroc est journaliste, il travaille pour *L'Avis*, un magazine belge. Le magazine s'intéresse principalement aux gens célèbres. Il enquête aussi sur les scandales qui choquent la société. Alex est français mais vit à Bruxelles, où se trouvent les bureaux du magazine. Il se déplace très souvent en France.

Dans cette histoire, vous allez rencontrer :

Alex Leroc. Un journaliste qui vit uniquement pour son travail. Il a une conviction et il la répète tout le temps : « Le monde est intéressant quand on lui pose des questions. » Il est toujours en retard, il est toujours stressé.

Jacky. Photographe de presse et collègue d'Alex. Pour être en pleine forme physiquement, il passe beaucoup de temps dans une salle de gym. Il manque de confiance en lui et il tombe amoureux de toutes les femmes qu'il rencontre. Enfin, il est souvent jaloux d'Alex.

Nina. L'autre collègue d'Alex, jeune femme intelligente, experte en art. Elle pratique le *kick boxing* mais elle compte surtout sur son intuition pour résoudre les affaires délicates.

Pierre Dulac. Le patron de *L'Avis*. Il est un peu autoritaire et très impatient.

Philippe Frisson. Ancien homme d'affaires recyclé dans le cinéma. Bel homme mais pas très bon acteur, il a besoin de la presse pour faire sa publicité.

Eva Trogen. Top-modèle suédoise. Compagne de Philippe Frisson. Elle déteste les interviews.

Rod Book. Acteur américain à la mode. Il accorde beaucoup d'interviews, mais il déteste parler de ses problèmes sentimentaux. Il est très impulsif.

Santino. Restaurateur italien. Il a beaucoup d'informations précieuses sur les stars de Cannes et les transmet avec plaisir à Alex et ses collègues.

Jeudi 8 mai

> *À tous les journalistes de L'Avis.*
> *Réunion de toute l'équipe demain à 12 h 30. Important.*
> *Objet : Festival de Cannes¹. Distribution des reportages.*

Vendredi 9 mai, Bruxelles

À 12 h 40, j'arrive au bureau en courant. Je suis très énervé, je monte par l'escalier pour aller plus vite. Dulac, le directeur, a déjà commencé la réunion. Il s'interrompt et me regarde entrer.

— Eh bien Alex, je vous signale que vous êtes en retard !

— Excusez-moi, il y a des problèmes de circulation, il y a beaucoup de voitures en ville aujourd'hui...

— Vous ne venez pas à moto d'habitude ?

— J'ai eu un problème mécanique avec ma moto. J'ai pris un taxi, mais aujourd'hui, c'est incroyable : traverser Bruxelles m'a pris 50 minutes et <u>pourtant</u> ce n'est pas l'<u>heure de pointe²</u>. Vous pouvez imaginer ça ?

— Non. Je n'ai pas d'imagination. Je viens tous les jours de Namur³ en train et je suis toujours à l'heure.

---

¹ Célèbre festival du film qui a lieu à Cannes depuis 1946.

² L'heure où il y a le maximum de circulation. À Bruxelles : de 8 heures à 9 heures le matin ; de 17 à 19 heures, l'après-midi.

³ Namur est une ville belge, c'est une ville assez petite mais c'est la capitale de la Wallonie, elle se trouve à 60 km de Bruxelles.

Dulac est de mauvaise humeur. Je m'assieds à côté de Nina, et je prends mon agenda électronique.

— Le Festival de Cannes commence lundi et il y a beaucoup de travail. Il faut s'organiser, annonce Dulac.

Je regarde Nina, ma collègue. Elle me sourit. Elle voit bien que je suis énervé par l'attitude du chef.

— C'est pas grave, me dit-elle à voix basse. Tu connais Dulac, il est un peu autoritaire.
— Il m'énerve, il me stresse !
— Tu n'as pas l'air en forme. Est-ce que tu as mangé quelque chose aujourd'hui ?
— Non ! Je ne prends jamais de petit-déjeuner et si Dulac convoque une réunion à l'heure du déjeuner, quand veux-tu que je mange ?
— Le petit-déjeuner, c'est un repas important, Alex.
— Écoute, Nina, tu es très gentille mais tu n'es pas ma mère. Et en plus, je te signale que je suis un grand garçon.

Elle rit.

— Excuse-moi, tu as raison.

Elle me sourit, je lui souris aussi. C'est une chouette[4] collègue, Nina.
Mais ensuite, c'est Dulac qui me regarde avant de tourner la tête vers Jacky. Il ne sourit pas. Dulac ne sourit jamais.

---

[4] Familier : sympathique, agréable.

— Alex, Jacky, je vous envoie tous les deux à Cannes. Mais attention, c'est sérieux ! C'est pas des vacances[5] : je veux beaucoup d'interviews, je veux des sensations, des émotions, des secrets. Chaque jour, vous m'envoyez une page avec vos impressions, vos découvertes et bien sûr, vos photos. Une sorte de « journal de bord » écrit par un visiteur curieux de tout ce qui se passe. Vous comprenez ce que je veux dire ?

— Oui, oui, dit Jacky. Comptez sur nous. Et Nina? Elle ne vient pas avec nous ?

— Elle, elle part aujourd'hui en vacances, n'est-ce pas, Nina ? dit Dulac.

— C'est vrai, je prends une semaine de vacances à Nice mais vous pouvez toujours m'appeler. Nice, c'est juste à côté de Cannes. Si vous m'invitez à dîner, j'accepte de travailler à temps partiel : j'adore les restaurants de la Croisette !

— Tu seras notre invitée spéciale, dis-je.

* diary / log / blog

Lundi 12 mai. Dans le train, en direction de Cannes

C'est impressionnant le TGV : en quatre heures, on traverse toute la France. On n'a pas le temps de regarder les paysages. C'est fantastique mais je reconnais que j'ai un peu la nostalgie des vieux trains. Dans les vieux films, j'aime le bruit particulier que les roues du train font sur les rails. C'est un bruit que j'associe au cinéma, ça donne du rythme aux films policiers. Quand on entend ce bruit, ça signifie qu'il y a un danger. En TGV, je me sens comme dans un avion. Il faut reconnaître que c'est confortable. J'en profite pour lire tranquillement le programme du

[5] Français oral : ce ne sont pas. *I have the benefit of*

festival et j'étudie un peu la filmographie des acteurs que je veux rencontrer.

Il est midi[6], le train arrive à Cannes. Jacky m'accueille à la sortie de la gare. Je vois dans ses yeux qu'il est préoccupé par quelque chose.

— Salut Jacky, ça va ? Tu es déjà installé dans notre hôtel ?

— Ouais ! Mais il y a un problème.

— Ah oui, qu'est-ce qui se passe ?

— Quand tu penses à Cannes, tu penses aux plages et aux grands hôtels chics, n'est-ce pas ? Le Martinez[7], le Carlton[8], le Majestic, Le luxe, la classe, quoi ! Eh bien, tu sais où Dulac nous fait loger ? À l'hôtel Logeco.

— Je n'ai jamais entendu parler de cet hôtel.

— Normal. Regarde le plan de Cannes. Le Logeco est facile à trouver : de la plage, on prend la rue d'Antibes et on va jusqu'au bout de la rue, au bord du périphérique[9]. Le quartier est horrible, les immeubles sont tristes à mourir.

— D'accord, mais l'hôtel, il est comment ?

— Il y a le bruit des voitures sur le périphérique, les chambres sont minuscules, l'air conditionné ne fonctionne pas. Enfin, on a de l'eau chaude !

— Tu es sûr que ce n'est pas une erreur ?

— J'ai téléphoné à Dulac, à Bruxelles. Sa secrétaire dit que c'est le seul hôtel qu'elle a trouvé. À Cannes, toutes les chambres sont réservées depuis longtemps pour le festival. Elle est désolée.

— Bon, ben[10], c'est la vie ! C'est *L'Avis*, comme dit Dulac.

---

[6] Midi correspond à douze heures. Minuit correspond à vingt-quatre heures.

[7] Hôtel très chic qui organise de grandes fêtes pour le festival du cinéma. Beaucoup de stars y réservent leur chambre.

[8] Hôtel prestigieux et très cher.

[9] En général, il y a un « périphérique » autour des grandes villes et des villes moyennes, c'est une autoroute pour détourner la circulation, pour éviter les embouteillages.

[10] Familier : bien.

Nous nous installons à l'hôtel Logeco. Jacky a raison, c'est pas extra[11]. Une seule solution : passer un maximum de temps à l'extérieur. Le Logeco, ce sera uniquement pour dormir.

Sur la Croisette[12], il y a des affiches partout, avec une fille qui sourit. Le slogan, c'est « Souriez ! Vous êtes protégés. 100 caméras pour votre sécurité. » Ça, c'est une idée géniale : la police surveille les gens et leur fait croire que ce sont des stars.

Nous entrons dans l'hôtel Majestic et nous nous asseyons dans les fauteuils du hall. C'est un des hôtels où les stars logent pendant le festival. Je consulte le programme du festival pour organiser nos interviews tandis que Jacky lit la presse locale.

— Tu sais quoi ? me dit Jacky : il paraît que le Majestic va fournir à ses clients pendant les douze jours du festival 800 kg de langoustes[13], deux tonnes de homards, 10 000 bouteilles de champagne. Ses clients vont user 1000 litres de gel de bain moussant et 16 000 savonnettes.

— Ils ne parlent pas du « Logeco » ?

Nous interrompons brusquement notre conversation pour observer un couple qui entre dans le restaurant. La femme est jeune, grande et mince. Elle a de longs cheveux blonds. Elle a l'air très sérieux. L'homme est plus âgé qu'elle, il est grand et musclé. Il a l'air très sûr de lui, c'est assurément un séducteur de première catégorie. Quand il enlève ses lunettes de soleil et qu'il s'assied, je le reconnais : c'est Philippe Frisson, l'acteur.

---

[11] Familier : ce n'est pas extraordinaire.
[12] Célèbre boulevard, le long de la plage de Cannes.
[13] Les langoustes, le homard, sont des fruits de mer. Il y a encore les crevettes, les moules, les crabes, etc.

— Cette femme, tu la reconnais ? me demande Jacky.

— Non !

— C'est Eva Trogen, la top-modèle suédoise.

— Lui, c'est Philippe Frisson. Mais elle, c'est la première fois que j'entends parler d'elle. Elle est vraiment très belle mais elle n'a pas l'air très heureuse.

— On peut commencer les interviews immédiatement ? dit Jacky, l'œil fixé sur Eva Trogen.

— Attention Casanova[14], ton concurrent est sérieux : regarde les muscles de Philippe Frisson ! Il porte un tee-shirt trop petit pour mettre ses muscles en évidence.

— Tu as raison, moi qui fréquente les salles de sport, je peux te dire que ce type[15] fait de la musculation tous les jours.

— Tu es jaloux ?

— Pas du tout ! Je suis plus jeune et plus beau que lui.

— Au travail : on peut commencer par Eva Trogen et Philippe Frisson, si tu es d'accord ?

— Tout à fait[16] ! À l'attaque !

Juste au moment où nous arrivons devant leur table, Philippe Frisson se lève et fait un geste pour s'excuser, il doit répondre à un appel sur son téléphone portable. Nous restons seuls avec Eva Trogen. Le problème, c'est qu'elle semble parfaitement indifférente à notre présence, elle regarde fixement devant elle. Je dois lui parler :

— Madame Trogen, bonjour. Permettez-moi de me présenter. Je m'appelle Alex Leroc, je suis journaliste au magazine *L'Avis*. Et voici Jacky Duchamp, mon collègue photographe. Eva — je peux vous

---

[14] Célèbre séducteur italien au XVIIIe siècle.

[15] Familier : homme.

[16] C'est une manière de dire « oui » avec conviction.

appeler Eva ? — nous sommes très heureux de vous rencontrer. Est-ce que vous acceptez de répondre à quelques questions ?

Elle tourne la tête une seconde puis elle retrouve son attitude antérieure. Elle ne s'intéresse pas à nous.

— Je n'ai pas le temps, répond-elle. Téléphonez à mon agent.
— Permettez-moi d'insister. Nous sommes ici à Cannes pour le festival. Les lecteurs de *L'Avis* veulent rencontrer des stars dans leur magazine. Accordez-nous seulement quelques instants.
— Laissez-moi tranquille. N'insistez pas.

À ce moment-là, Philippe Frisson termine sa conversation téléphonique et vient vers nous avec un grand sourire.

— Ah ah, je vois que les paparazzi sont en action. Bonjour messieurs.

Je déteste qu'on[17] m'appelle paparazzi !

— Nous ne sommes pas des paparazzi, nous sommes des journalistes professionnels et nous travaillons pour le magazine *L'Avis*.
— Oh la la, excusez-moi, je ne veux pas vous offenser. Au contraire, pour moi, c'est toujours un plaisir de parler à des journalistes. J'imagine que vous nous proposez une interview.
— C'est exact mais madame Trogen ne semble pas intéressée.
— Je n'ai pas le temps, dit la top-modèle.
— Mais si, chérie, cet après-midi, tu as un moment de liberté, répond Philippe Frisson. Ce sont des journalistes de *L'Avis*. C'est un excellent magazine, tu sais.

---

[17] « On » est une forme impersonnelle qui veut dire ici « les gens ».

Eva ne répond pas.

— Parfait ! À quelle heure ? demande Jacky.

— Disons en fin d'après-midi, vers dix-sept heures[18], propose l'acteur.

— D'accord. À votre hôtel ?

— Nous sommes au Palm Beach. On peut se rencontrer à la piscine de l'hôtel. Là, vous pouvez nous trouver facilement. Pas vrai, Eva ?

— Ouais[19] !

— Très bien, dis-je. À tout à l'heure.

— À tout à l'heure.

À 17 h, quand nous arrivons, Eva Trogen est allongée à côté de la piscine, sur une chaise longue. Elle est à l'ombre. Elle porte un bikini jaune, elle n'est pas bronzée. Elle se repose. Elle dort.

— Hem, hem[20], fait Jacky. Bonjour Eva.

Comme elle ne répond pas, Jacky a une idée, il veut photographier la belle endormie. Il n'a pas le temps de régler son appareil photo. Un homme arrive derrière lui et l'immobilise vigoureusement. Il a la silhouette et le sourire de Terminator[21]. Je tente de les séparer mais le monstre concentre sa force sur Jacky. C'est comme si je n'existais pas. Jacky arrive à le déséquilibrer et ça le rend

---

[18] Pour être plus précis, à partir de midi, on peut dire 12 heures, 13 heures, etc. Jusqu'à 24 heures.

[19] Familier : oui.

[20] Interjection utilisée pour attirer l'attention.

[21] Personnage mi-homme mi-robot interprété par Arnold Schwarzenegger au cinéma.

encore plus furieux. Une véritable bataille commence. C'est Arnold Schwarzeneger contre Jean-Claude Van Dam. Finalement, après quelques secondes de grande tension, Eva Trogen interrompt le combat.

— Stop it, Frank ! It's all right[22].

L'homme se calme : Terminator, c'est le garde du corps d'Eva ! *angry* Je vois que Jacky est très fâché, pourtant, ce qui est arrivé est un peu de sa faute. Parfois j'ai l'impression qu'il cherche les problèmes.

— Qui êtes-vous ? Qu'est-ce que vous voulez ? demande Eva. Ah oui, les journalistes de *L'Avis* ! Je me rappelle maintenant. Vous êtes là pour une interview, c'est ça ?
— Oui, c'est ça, répond Jacky, en imitant l'accent de la top-modèle.
— Eh bien, allez-y. Si vous avez des questions, posez-les moi.

Elle parle rapidement. Elle donne des ordres en anglais à son garde du corps. Elle ne fait pas d'effort pour sourire. Quelle femme antipathique ! Mais nous sommes ici pour l'interviewer, alors je fais mon travail.

— Eva, ça fait combien de temps que vous êtes top-modèle ?
— Quatre ans. Ça fait quatre ans et ça fait deux ans que je passe ma vie dans les avions entre New York et Paris.
— Vous passez votre vie dans les avions et dans les hôtels ?
— J'ai un appartement à New York et un autre à Paris, pourquoi ?
— Vous aimez votre profession ?
— C'est un univers très dur.

---

[22] Arrête, Franck ! Tout va bien.

Jacky intervient :

— Vous pouvez prendre votre retraite[23] ? C'est à quel âge, pour les top-modèles ? demande-t-il ironiquement.

Visiblement, Jacky n'apprécie pas cette femme. Il ne lui pardonne pas l'attaque du garde du corps.

— À trente ans j'arrête, répond-elle. Si j'arrive jusqu'à cet âge.
— Vous n'êtes pas très optimisme ! observe Jacky.
— Qu'est-ce que vous voulez ? Un conte de fées ? Vous voulez du cinéma ?

Si ça continue comme çà, l'interview sera un désastre. Je regarde Jacky qui pense comme moi. On entend alors la voix de Philippe Frisson. Il apparaît à l'autre bout de la piscine et marche dans notre direction :

— Ah, ces messieurs de *L'Avis* sont déjà là ! Mais vous n'avez rien à boire. Attendez, j'appelle le garçon. Que voulez-vous ? Martini, champagne ? Il y a aussi d'excellents cocktails de fruits. Rappelez-moi votre nom.
— Alex, Alex Leroc. Euh, je voudrais une bière, dis-je, surpris par sa bonne humeur. Est-ce qu'il y a des bières belges ?
— Bien sûr ! Et vous, monsieur…, monsieur … ?

Jacky fait un mouvement de kick boxing en direction de Terminator.

— Jacky, Jackie Chan[24].
— Ah ah ah, Jackie Chan. Excellent ! J'adore votre humour.

[23] Moment de la vie où on arrête généralement de travailler : à 65 ans en France.
[24] Acteur chinois spécialisé dans les films de kung fu.

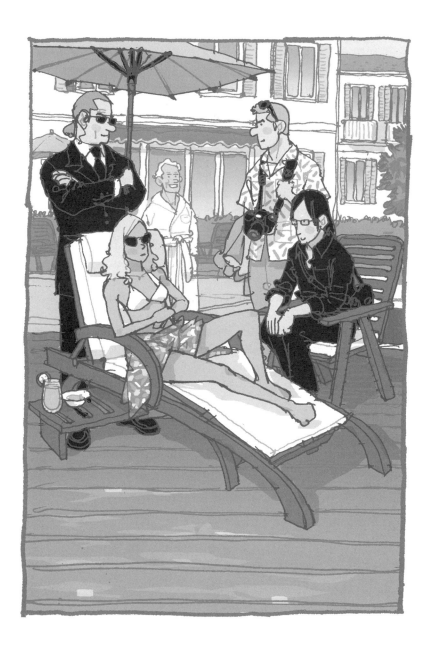

— Un cocktail de fruits pour moi.

Philippe Frisson regarde Eva Trogen. Son sourire disparaît pendant une fraction de seconde puis il retrouve le sourire pour nous regarder.

— Je vois que Eva n'est pas en forme aujourd'hui. Elle est un peu malade. Je crois que ce n'est pas un bon jour pour une interview. J'ai une idée : je vous invite demain sur mon bateau. Il est au port, ici à Cannes. Qu'en pensez-vous ?
— On peut prendre de superbes photos sur un yacht, dit Jacky.
— Il mesure 8 mètres, c'est un bateau rapide. Il est au port Pierre Canto[25] au bout du ponton 14. Il s'appelle « Le Battant ». Il est vraiment très beau, vous verrez.

Le serveur du bar de l'hôtel arrive avec un plateau.

— Nous vous laissons, dit Frisson. Mais vous pouvez profiter de la piscine. À demain messieurs ! Rendez-vous sur mon bateau vers 11 heures, d'accord ?
— D'accord, dis-je.

Et Philippe Frisson s'éloigne, accompagné de l'énigmatique Eva Trogen et de Terminator qui marche derrière eux comme un robot. Nous restons quelques instants au bord de la piscine pour terminer nos boissons.

[25] Un des ports de Cannes.

— Curieux couple, dis-je ! Lui, il veut qu'on parle de lui. Je comprends pourquoi : ce n'est pas un bon acteur. Il a besoin des journalistes pour conserver l'intérêt du public. Elle, par contre, elle ne nous aime pas et il est évident qu'elle ne veut pas parler d'elle.

— Finis ta bière, dit Jacky, et sortons d'ici : je n'aime pas l'ambiance de cet hôtel. J'ai la sensation que Terminator nous observe. Je ne le vois pas mais je sens son regard.

Nous marchons dans une rue parallèle à la Croisette. Nous ne sommes pas loin de la plage mais la rue est déserte. Une voiture roule très lentement derrière nous. Nous allons à gauche, elle tourne à gauche. Nous allons à droite, elle tourne à droite : elle nous suit, c'est sûr ! Je ne me sens pas tranquille.

— C'est bizarre, dit Jacky ! Ne regarde pas immédiatement, Alex. Il y a une voiture derrière nous. Je crois qu'elle nous suit.

— Je sais.

— Ce n'est pas normal. Attends, je vais voir.

Jacky s'arrête de marcher, il va au milieu de la rue et regarde fixement le conducteur dans les yeux. Puis, il se tourne vers moi en souriant.

— C'est une femme, dit-il. Ça change tout.

— Pourquoi ?

— Parce qu'elle est jolie. Je suis sûr qu'elle cherche à me rencontrer, à nous rencontrer. _We have to meet._

Jacky fait un grand sourire à la conductrice, il la salue d'un geste de la main. La jeune femme lui sourit à son tour. Il marche maintenant comme une star. Je suis sûr qu'il se prend pour Johnny Depp.

— J'adore Cannes. C'est la ville du glamour, dit-il. On fait des rencontres sans complexes. Je pense que le festival commence bien, mon cher Alex.

— Tout à fait, tout à fait, mon cher Jacky !

Jacky continue à draguer[26] la conductrice mais la voiture reste dix mètres derrière nous. Si nous nous arrêtons, elle s'arrête aussi. Moi, je commence à trouver ça étrange.

— Je suis sûr qu'elle a envie d'entrer en contact avec nous, analyse Jacky. Je vais lui proposer d'aller prendre un verre[27].

Jacky se dirige vers la voiture. Il insiste pour que je l'accompagne. Il est incroyable !

— Bonsoir[28] mademoiselle, dit Jacky, je suis sûr que vous cherchez quelqu'un pour vous guider dans la capitale mondiale du cinéma ?

— Pas du tout, répond la dame, j'habite ici et comme il est très difficile de stationner, je vous accompagne jusqu'à votre voiture pour prendre votre place quand vous serez partis.

— Nous sommes venus en train ! dit Jacky, furieux.

J'ai envie de rire mais je ne peux pas. Dans ce genre de circonstances, Jacky n'a pas le sens de l'humour.

---

[26] Tenter de séduire, flirter.

[27] On dit aussi prendre un pot (une bière, une limonade …)

[28] On dit « bonsoir » à partir de 18 heures environ, quand la nuit tombe. Jusqu'à 18 heures, on dit « bonjour ».

Mardi 13 mai

Il est six heures et demie du matin, Jacky me réveille brutalement.

— Bonjour Alex, voilà le programme pour bien commencer la journée : jogging le long de la mer. Qu'en penses-tu ?
— Tu es fou ?
— Pas du tout. Ça va nous faire du bien. Moi, je fais ça régulièrement. Et toi ? Jamais, je suppose.
— Tu sais, je suis plus sportif que tu l'imagines.
— Eh bien alors, on y va.

Je déteste le jogging et je ne supporte pas les commentaires de Jacky sur ma forme physique. Nous sommes seuls à courir, il est sept heures du matin et la ville dort encore. Nous passons devant les hôtels. Chaque hôtel a sa plage privée. Après un kilomètre, je m'arrête et je respire profondément.

— Euh[29], Jacky, je voudrais m'arrêter deux secondes. J'ai envie de regarder la mer. Tu veux bien ?
— Dis plutôt que tu es fatigué et que tu veux te reposer !
— Non, je te dis que je suis en pleine forme. J'ai envie de regarder la mer, c'est tout !

Tout à coup, le serveur d'un des hôtels apparaît derrière nous :

— Je suis désolé, messieurs, mais il est interdit de s'asseoir sur cette plage. C'est une plage privée.

---

[29] Interjection utilisée quand on ne sait pas très bien quoi dire ou qu'on a besoin de réfléchir.

— Comment ? Le sable est à tout le monde, non ? répond Jacky.

— Vous n'êtes pas clients de l'hôtel, n'est-ce pas ? Alors, vous ne pouvez pas rester ici. Vous pouvez courir sur la plage, mais vous ne pouvez pas vous asseoir.

— C'est incroyable, c'est absurde ! Viens Jacky je regarderai la mer plus loin.

— Au revoir, messieurs, et bonne promenade ! conclut le serveur.

Nous recommençons à courir. Nous ne sommes plus seuls sur la plage. D'autres viennent courir sur le sable comme nous, mais personne ne s'assied puisque c'est interdit ! Je n'aime pas courir mais ici, l'avantage c'est que je peux courir en regardant la mer. Soudain, mon attention se fixe sur un petit bateau qui s'approche bizarrement de la côte, il est poussé par les courants vers la plage.

— Jacky, regarde ce bateau, là ! Tu vois quelqu'un à bord ?

— Non et c'est pas normal. Il s'approche de la plage. Viens, on va le voir de plus près.

Le bateau touche terre à quelques mètres de nous. Nous nous approchons de lui. Quelques curieux arrivent derrière nous. Avec leur aide, nous tirons le bateau sur le sable pour l'immobiliser complètement.

— Je monte ? demande Jacky.

— Vas-y !

Jacky disparaît dans la cabine. Il réapparaît rapidement. Il a l'air très impressionné.

— Alex, il y a un mort dans la cabine. Ça ressemble beaucoup à un meurtre. Appelle la police !

Je sors mon téléphone portable de ma poche puis je me tourne vers les promeneurs :

— Ne montez pas sur le bateau, s'il vous plaît. La police va arriver dans un instant.

Nous avons quelques minutes, Jacky a le temps de prendre quelques photos avec son téléphone portable.

☐☐☐☐☐☐**7**☐☐☐☐☐

Quand les policiers arrivent, leur chef s'adresse à moi directement.

— Commissaire Legrand, de la brigade criminelle. Et vous, qui êtes-vous ?
— Alex Leroc, journaliste au magazine *L'Avis*. C'est moi qui ai appelé. Mon collègue est à l'intérieur du bateau. Il y a un mort dans la cabine.

Jacky descend du bateau. Le policier se tourne vers lui :

— Monsieur, est-ce que vous avez touché à quelque chose dans la cabine ?
— Non. Je suis entré et j'ai constaté que l'homme qui se trouve à bord était mort. C'est tout.
— Merci, donnez-moi vos numéros de portables, s'il vous plaît. Vous êtes à Cannes pour quelques jours ?
— Jusqu'à la fin du festival.
— Très bien. Merci pour votre collaboration.
— De rien, dit Jacky avec assurance.

Il me lance un regard complice. Nous avons probablement un bon reportage pour le magazine. Dulac va être surpris. À ce moment-là, j'entends la sonnerie de mon téléphone portable.

— Allô ?

— Allô, ici Dulac. J'ai du travail pour vous. Un crime a eu lieu sur une plage à Cannes et c'est pas du cinéma. Allez voir ce qui se passe !

— Mais, comment est-ce que vous savez ça ? C'est nous qui avons découvert le mort il y a un quart d'heure.

— Parfait. C'est très bien ! Faites-moi un reportage sensationnel, Alex. Je veux un titre « choc » dans *L'Avis* de cette semaine. Je compte sur vous. À bientôt.

Notre chef a des informateurs partout. C'est Big Brother[30] ! Je regarde Jacky :

— C'est Dulac. Il est déjà informé du meurtre.

— Quoi ? C'est pas possible, répond Jacky.

— Apparemment, nous ne sommes pas les seuls journalistes sur la plage ce matin.

— C'est possible, mais nous, on a des photos !

Nous avons rendez-vous avec Philippe Frisson à onze heures. Ça nous laisse le temps de prendre une douche à l'hôtel et de nous changer. Jacky me montre ses photos du mort. Pauvre type : qu'est-ce qu'il lui est arrivé en pleine mer ? Qui l'a tué ? Pourquoi ? Mais si nous devons faire une enquête sur le meurtre et qu'en plus

---

[30] Dictateur omniprésent du roman de Georges Orwell *1984*.

nous devons interviewer des stars, ça représente beaucoup de travail pour nous deux. Nous avons besoin de Nina. Je lui téléphone. Il faut qu'elle nous aide !

— Allô, Nina ?
— Oui, bonjour Alex. Ça va ?
— Ça va, ça va[31] ...
— Dis-moi : quel est le problème ?
— Eh ben voilà, en fait, on a besoin de toi ici, à Cannes ?
— Qu'est-ce qu'il se passe ?
— Le problème, c'est que non seulement on doit faire des interviews mais en plus on doit enquêter sur un meurtre.
— Je suis désolée pour vous mais tu sais bien que je suis en vacances.
— Mais Nina, quelqu'un est mort et Dulac nous demande de faire une enquête. C'est très sérieux !
— Ah, vous les hommes, vous paniquez vite. Bon, d'accord : je vous donnerai un coup de main. Dites-moi où vous logez.
— Ouf[32] ! On se retrouve ce soir pour le dîner, d'accord ? On t'invite dans un super restaurant. On mangera à côté des stars. Rendez-vous à l'hôtel Logeco, rue Jean Bart, à sept heures, d'accord ? C'est facile, c'est juste à côté du périphérique.
— OK ! Je prendrai un taxi. À tout à l'heure !

Nous arrivons au port Pierre Canto[33]. C'est ici que se trouve le bateau de Philippe Frisson. L'acteur nous attend sur le quai.

— Bonjour les journalistes, soyez les bienvenus, dit Frisson. J'ai le plaisir de vous inviter à bord du « Battant ».

[31] Si l'on répète « ça va » de manière hésitante, ça signifie qu'en réalité ça ne va pas très bien.
[32] Interjection signifiant qu'on est soulagé, libéré d'un problème.
[33] Un des ports de Cannes.

C'est un mauvais comédien : n'importe qui pourrait remarquer qu'il n'a aucun plaisir à nous recevoir, c'est évident !

— Beau bateau ! dit Jacky.

— Montez, montez. Écoutez, je voudrais d'abord vous expliquer quelque chose concernant Eva : vous savez, en général, les mannequins ne parlent pas facilement, mais elle parle encore moins que les autres. C'est une femme adorable, généreuse, sensible, mais très réservée. Excusez-la, elle ne veut pas d'interview. Donc, si vous voulez, je répondrai volontiers à vos questions sur Eva, sur moi, sur notre histoire d'amour extra-ordinaire. Et vous pourrez nous photographier, évidemment.

C'est un acteur qui connaît son rôle mais je le sens plus nerveux qu'hier. Il décide même l'endroit du bateau où il veut être interviewé et photographié.

— Très bien, commençons, dis-je. Vous êtes acteur depuis peu de temps. Il y a deux ans, vous étiez encore un chef d'entreprise, un homme d'affaires très médiatique. Quelle profession préférez-vous?

— Je gagne moins d'argent comme acteur mais c'est plus amusant.

— Vous jouez quel rôle dans votre dernier film ?

— Je joue le rôle d'un gangster[34] affectueux et tendre.

— C'est un rôle facile ?

— Tous les rôles sont difficiles. Écoutez, je sais que la presse n'est pas convaincue par mes performances d'acteur. Moi, je sais que le public et les autres acteurs apprécient mon travail. J'espère un jour convaincre aussi les critiques. Ah ah ah !

— Vous considérez votre carrière d'homme d'affaires comme un succès ou un échec ?
failures

[34] En général on utilise ce mot anglais mais on dit aussi « bandit ».

26

— J'ai eu des succès et j'ai eu des échecs. J'ai gagné beaucoup d'argent et j'en ai aussi perdu. C'est normal, c'est la vie !

— Vous préférez jouer dans une comédie ou un drame ?

— Une comédie.

— Vous ne pleurez pas facilement ?

— C'est exact, je ne suis pas très sentimental.

— Vous préférez jouer dans un film d'action ou un film d'-horreur?

— D'action !

— Qu'est-ce qui vous fait peur ?

— Les dentistes.

— Pourquoi ?

— Ils nous torturent, ils nous mentent et ils nous le font payer cher. Ah ah ah ! Non, c'est une blague.

Pendant que j'interviewe l'acteur, Jacky s'intéresse au bateau. Il se déplace pour prendre des photos originales, de haut en bas. Il descend même du bateau pour faire quelques gros plans sur l'a-vant du navire. Quand Frisson le remarque, il va rapidement vers lui pour l'interrompre. Il a l'air furieux.

— Les photos, c'est par ici, d'accord ?

Jacky le regarde fixement sans comprendre. L'acteur se rend compte immédiatement que son intervention provoque un malaise. Il essaie de se montrer aimable.

— Désolé mais sur le bateau, c'est moi le capitaine !

Nous prenons quelques photos des deux stars. Frisson nous explique comment ils se sont rencontrés. Il essaie de détendre l'atmosphère. Nous quittons le navire avec une curieuse impression. Quelque chose n'est pas clair dans leur attitude !

À midi[35], Jacky et moi allons chercher un restaurant pour déjeuner sur la plage de la Croisette. Il fait déjà chaud et nous sommes seulement au mois de mai. Nous marchons le long de la mer.

— Ah, dit Jacky, ce ciel bleu, cette mer bleue : vraiment, j'aime beaucoup, c'est magnifique ! Mais, entre nous, tu sais ce que j'aime le plus ? C'est le parfum des crèmes solaires. Regarde toutes ces jolies femmes qui prennent le soleil. Pour moi, c'est ça, le paradis !

Pendant que Jacky s'intéresse à ce qui se passe sur la plage, moi, je compare les menus des différents restaurants. Tout est très cher ! Je m'arrête pour regarder la carte d'un restaurant appelé « Cinecitta. » Il est un peu tôt, le restaurant est encore vide. Un homme vient vers nous. Est-ce un serveur chargé d'attirer les clients ? Je le regarde fixement et il me faut quelques instants avant de comprendre ce qui le rend très original. En fait, il porte une demi-moustache du côté gauche et une demi-barbe du côté droit. Il se rase de manière asymétrique. L'homme sourit parce qu'il sait que son « look » surprend énormément :

— Ciao[36], messieurs. Vous voulez déjeuner ? Mon restaurant est la rencontre du cinéma et de la gastronomie. Ici, vous apprendrez beaucoup de choses sur les stars. Vous êtes journalistes, n'est-ce pas ?
— Comment le savez-vous ?
— Ah ah, j'en étais sûr ! Je suis très observateur. Je suis le propriétaire de ce restaurant. Le show business, je sais ce que c'est. Je peux réunir les gens célèbres qui ont des secrets et les

---

[35] À 12 heures, mais c'est aussi l'heure du repas de midi, entre 12 heures à 14 heures.
[36] Ciao veut dire « bonjour » et « au revoir » en italien. En français, on dit « ciao » pour dire « au revoir ».

journalistes qui cherchent à les découvrir. Entrez, asseyez-vous. Je m'appelle Santino.

— Enchanté : Alex, Alex Leroc et voici Jacky Duchamp. Nous travaillons pour le magazine *L'Avis*.

— Fantastique ! Je suis un de vos lecteurs. *L'Avis*, c'est un excellent magazine ! Vraiment !

— Merci.

Ce Santino nous fait une sorte de spectacle. C'est un grand acteur et son look est parfait : une demi-moustache et une demi-barbe, ça ne laisse pas indifférent !

— Je ne sais pas ce que vous voulez manger, dit le patron, mais je vous recommande la bouillabaisse[37]. C'est notre spécialité depuis vingt-cinq ans. Les stars du monde entier viennent chez moi pour la goûter. C'est une recette unique.

— La bouillabaisse nous intéresse mais je suis aussi curieux de connaître votre recette pour découvrir les secrets des stars. Comment faites-vous ?

— Je suis un comédien comme eux, on est pareils, on parle le même langage, on aime attirer l'attention, ah ah ah !

— Alors, on prend une bouillabaisse, Alex ?

— C'est d'accord ! Et comme entrée, une salade niçoise[38], ça te va ?

— Parfait !

Tout à coup, on entend un homme à une table voisine qui se met à crier. Il a l'air furieux. La jeune serveuse qui s'occupe de lui ne sait pas quoi faire. Santino nous quitte pour intervenir auprès de ce client difficile. Il arrive à le calmer assez facilement.

Quelques instants plus tard, le patron nous apporte lui-même les salades niçoises.

---

[37] Soupe de poissons, plat typique de la côte méditerranéenne.
[38] Salade composée de laitue, tomates, œufs durs, poivrons, olives noires et anchois.

— Et voilà. Bon appétit, messieurs !

— Qui c'est ce type[39] ? demande Jacky avec curiosité. Je crois que je le connais.

— C'est Rod Book, l'acteur américain.

— Ah oui, maintenant je le reconnais ! répond Jacky. Quel caractère !

— Oui, Rod Book est très impulsif, continue Santino, mais il est spécialement agressif à cause d'une histoire d'amour. C'est un secret mais je suis sûr qu'il a été l'amant de Jane Trembleur et qu'elle l'a quitté. La rupture a eu lieu ici-même. Ça s'est passé il y a trois jours dans mon restaurant. Ils se sont disputés. Ça a duré quelques minutes puis elle est partie.

— Ah bon, Rod Book et Jane Trembleur ont été amants et la presse n'en a pas parlé de leur relation ? Santino, vous pouvez nous organiser un rendez-vous avec Rod Book ?

— Je peux essayer, mais ce n'est pas facile ! Si ça vous intéresse, j'ai plein d'histoires à raconter sur d'autres acteurs.

— Et au sujet du mort retrouvé sur son bateau, vous savez quelque chose ?

— Rien du tout. Je sais seulement que la police organise une conférence de presse cet après-midi.

— Heureusement que vous êtes là ! Merci pour l'info[40].

Entre la salade niçoise, la bouillabaisse, la tarte Tatin[41] et le café, le patron du restaurant nous raconte un nombre impressionnant de secrets sur les stars. Nous prenons des notes pour nos articles.

[39] Familier : homme.
[40] Information. On coupe souvent les mots : géo pour géographie, bio pour biologie, etc.
[41] Pâtisserie avec des morceaux de pommes, présentée avec la pâte au-dessus des fruits. Elle se mange chaude.

Nous quittons le restaurant sans accepter le pousse-café[42] que Santino nous propose. Nous décidons de retourner sur la plage pour tenter d'obtenir plus d'informations sur le meurtre. Trois policiers interdisent l'accès au bateau. Je m'approche d'eux :

— Bonjour messieurs, nous sommes journalistes, nous travaillons pour *L'Avis*. Est-ce que vous savez quelque chose de plus à propos du meurtre ?

— Nous, on ne peut rien dire. On n'a pas le droit, répond un des agents. Mais, dans un quart d'heure, il y aura une conférence de presse au commissariat de police de Cannes.

— Tu entends, Jacky ? Vite, on y va.

Le commissariat de police n'est pas loin mais nous courons jusque-là et j'arrive très fatigué. Je dois vraiment faire plus de sport !

Il y a déjà beaucoup de journalistes dans la salle. L'information nous est arrivée juste à temps. C'est le commissaire Legrand qui parle d'une voix très neutre :

abenks

— Voici quelques renseignements concernant l'homme retrouvé mort sur un bateau de location ce matin. Il s'agit d'un citoyen finlandais. Il s'appelait Aki Crum. Nous confirmons qu'il est mort hier après-midi, entre seize heures et dix-huit heures. Il est mort à cause d'une chute. Il est tombé sur la tête. Dans quelles circonstances ? L'enquête doit le déterminer. Il y a une trace de choc sur l'avant du bateau. Ce bateau avait été loué le jour même à Nice. Le vent et les courants marins l'ont poussé jusqu'à la plage. C'est tout ce que je peux vous dire pour l'instant.

---

[42] Alcool, digestif que l'on prend à la fin du repas, après le café.

La conférence de presse se termine. Le commissaire Legrand nous reconnaît Jacky et moi, il vient vers nous :

— Alors, les paparazzi, vous voulez faire une enquête ? Vous ne vous intéressez plus seulement au cinéma ?
— Nous ne sommes pas des paparazzi, commissaire. Nous sommes journalistes !

Nous rentrons à l'hôtel. Nous écrivons nos impressions du festival dans notre « journal quotidien », nous parlons des stars que nous avons rencontrées et nous envoyons tout ça à Dulac.
Il nous répond immédiatement : « Je confirme : continuez à enquêter sur le crime. Autre priorité : cherchez un maximum d'informations sur Jane Trembleur et Rod Book. Rod Book a beaucoup de succès chez les jeunes ».

À dix-neuf heures, le réceptionniste de l'hôtel nous téléphone. Nina est arrivée. Elle nous attend en bas.

— Salut les gars[43], ça va ?
— Bonsoir Nina, on est très contents de te voir ! dis-je.
— C'est ici que vous logez ? C'est pas terrible[44] !
— Nous sommes d'accord avec toi, dit Jacky.
— Eh bien, on y va ? Nina, on t'invite dans un restaurant à la mode. Tu es prête ?
— Comment ? Déjà ?

[43] Familier. On dit aussi « mecs » : hommes
[44] Familier : ce n'est pas bien, ce n'est pas extraordinaire.

— On t'emmène chez notre ami Santino. Son restaurant s'appelle « Cineccita ». C'est un des lieux de rendez-vous préférés des artistes à Cannes cette année. On l'a découvert par hasard. On a eu de la chance. Santino, le patron sait plein de choses sur les acteurs.

— Super ! Où est ma chambre ?

— Heu, en fait, tu dormiras dans la même chambre que nous. Il n'y a plus une seule chambre libre à Cannes. On t'a installé un lit supplémentaire.

— Eh bien, c'est le grand confort, je vois. Vous ne m'avez pas dit ça au téléphone ! Donnez-moi la clé, je vais me changer.

— Te changer ? Mais pourquoi ?

Elle porte un jeans, un tee-shirt. Elle a des baskets[45] aux pieds. Elle a un foulard dans les cheveux.

— Si vous m'invitez dans un restaurant à la mode, donnez-moi l'occasion de m'habiller « classe ».

— C'est pas dans tes habitudes !

— Justement ! Je me suis acheté quelques jolis vêtements à Nice. Ils sont supers. C'est l'occasion de les mettre. Donnez-moi dix minutes.

— D'accord, d'accord.

Trente minutes plus tard, Nina apparaît. Elle porte une robe bleue décolletée dans le dos. Elle a aux pieds des sandales à hauts talons. C'est la première fois que je vois Nina habillée comme ça. Elle est sensationnelle !

[45] Chaussures de sport.

A

Quand nous entrons, je remarque que Nina est fascinée par Santino, l'homme à la moustache asymétrique. Je remarque aussi que Santino s'intéresse immédiatement à Nina.

— Santino, dis-je, voici Nina, notre collègue de *L'Avis*. Nina, je te présente Santino, l'ami des stars et le maestro de la bouillabaisse!

— Entrez, entrez, Nina ! Vous savez, dans mon restaurant, j'ai vu passer beaucoup d'actrices célèbres mais vous êtes la plus jolie femme que j'accueille à Cinecitta !

— Vous êtes très aimable, Santino. Je ne vous crois pas mais c'est très agréable à entendre.

— Installez-vous, je vais m'occuper de vous tout de suite.

Nous sommes assis à une table qui est un bon poste d'observation. Nous expliquons en quelques mots à Nina notre découverte sur la plage. Mais Nina s'intéresse surtout aux stars qui passent à côté de nous. Un quart d'heure plus tard, Santino vient vers nous :

— Bonne nouvelle ! Rod Book vient d'arriver. Vous vous intéressez à lui ? Eh bien, je vous ai obtenu une interview. C'est une chance parce qu'il est très demandé. Quarante interviews en trois jours ! dit-il. Allez-y, il vous attend. Pendant ce temps je transmettrai certaines informations confidentielles à Nina, votre belle collègue... D'accord ?

— Bien sûr, répond Nina.

chat up.

A

C'est clair, il la drague. Il a trouvé une excuse pour nous éloigner, Jacky et moi. Il veut rester seul avec elle.

Quand nous arrivons près de Rod Book, l'acteur américain retire ses grosses baskets noires, ses chaussettes et plonge ses pieds dans la piscine. Lui, il n'a aucun sens du protocole, c'est clair !

— J'ai mal aux pieds ! Impossible de marcher normalement dans la rue, dit Rod Book. Je dois m'arrêter tout le temps à cause des fans. C'est fatigant. Pourtant, c'est un plaisir d'être ici, au Festival de Cannes, dans ce pays où le cinéma est encore un art.

— Je suis Alex Leroc, du journal *L'Avis* et voici Jacky Duchamp, mon collègue photographe. Rod, vous considérez que « Cher ami », votre dernier film, est une œuvre d'art ?

— Tout à fait.

— Vous parlez très bien le français !

— Mon père est né en France. Il m'a toujours parlé français.

— Quel rôle jouez-vous dans ce film?

— Je suis un séducteur qui séduit les femmes en dansant. Imaginez Travolta mais en plus distingué.

— C'est la première fois que vous venez à Cannes. On dit souvent que le public du festival est froid, qu'il manque de passion. Qu'en pensez-vous ?

— Ce n'est pas vrai. Hier après-midi, j'ai rencontré le public et la presse au Palais des Festivals et des Congrès et j'ai trouvé qu'il y avait une ambiance formidable. Vous n'étiez pas là ?

— Non, nous étions en compagnie de Eva Trogen.

— Je vous comprends parfaitement, votre absence est justifiée, ah ah ah !

— À 47 ans, comment faites-vous pour fasciner les adolescents ?

— Je suis un éternel rebelle et ils le sentent.

— Et l'amour ? Comment va l'amour ?

— Oooh, l'amour !

Parfois les journalistes doivent prendre des risques. Je veux savoir :

— Êtes-vous encore amoureux de Jane Trembleur ?

— Ah, vous croyez tout savoir. Eh bien, vous ne savez rien et vous ne saurez rien ! Messieurs, notre conversation est terminée.

Il se lève, furieux, prend ses chaussures en mains et s'en va pieds nus, en parlant tout seul, sans nous regarder. D'autres journalistes s'approchent de lui. Il les menace en faisant tourner ses baskets dans l'air.

Je pensais qu'il voulait parler mais je me suis trompé. Je pense que c'est l'interview la plus courte de ma carrière.

Je regarde en direction de Nina et je vois qu'elle semble beaucoup apprécier la compagnie de Santino, notre restaurateur avec sa demi-moustache. J'ai l'impression qu'elle est sensible au charme de ce « latin lover ». Moi, je sors, je m'en vais : il faut que je vérifie certaines choses. J'ai besoin d'un ordinateur. Jacky, lui, commence une séance photos avec toutes les stars présentes. Je propose à mes amis de venir me rejoindre plus tard au centre de presse du festival.

13 ⬜⬜⬜⬜⬜⬜⬜⬜⬜⬜

Au centre de presse, devant un ordinateur, j'introduis quelques mots-clés sur Google qui me propose des centaines de pages consacrées à Jane ou à Rod mais il n'y a aucune référence à une histoire d'amour entre eux. S'ils ont été amants, ils ont pu conserver le secret. Quelque chose attire mon attention : j'observe qu'une signature apparaît tout le temps : un certain Ika Murc. Il a écrit des dizaines et des dizaines de pages sur Jane. Ce n'est pas un journaliste mais il publie sur Internet une énorme quantité d'informations consacrées à l'actrice. Ses pages contiennent des photos. Il raconte avec beaucoup de détails la vie de Jane. Il y a des pages en suédois mais la majorité des pages est en anglais.

Quand Nina et Jacky viennent me retrouver, je suis complètement absorbé par mes lectures sur Internet.

— Regardez, dis-je, il y a des dizaines de pages sur Jane, écrites par un certain Ika Murc. Il s'intéresse à elle depuis plusieurs années. Ce n'est pas un journaliste mais il travaille beaucoup pour réaliser toutes ces pages qu'il met en ligne.

— Qu'est-ce qui t'étonne ? me demande Jacky. On voit de tout sur Internet. Les gens veulent partager leurs passions. Ce type est un passionné des stars et d'internet. Il n'est pas le seul !

— On dirait qu'il a passé des mois entiers à suivre Jane, à s'informer sur tout ce qui la concerne, dis-je. C'est un vrai travail de détective : il parle d'une opération de chirurgie esthétique, donne l'adresse de l'hôpital où l'actrice a été opérée, ce qu'elle a payé. Il mentionne des dates, des lieux précis. Il fait plein de photos. Il ne respecte absolument pas son intimité.

— Arrête, me dit Jacky, n'oublie pas que nous sommes journalistes à *L'Avis*, c'est-à-dire que nous faisons un peu la même chose que lui.

— Nous sommes des journalistes, lui, non. Il se prend pour un journaliste mais il écrit très mal.

— Tu lis l'anglais maintenant ? me demande Nina. Je croyais que ton niveau d'anglais était très mauvais.

— Mon niveau est suffisant pour comprendre que le type qui a écrit toutes ces pages est un fanatique, un maniaque. C'est hallucinant ! On dirait qu'il l'a suivie jour et nuit. Il a dû dépenser une fortune en voyages uniquement pour divulguer ses secrets sur Internet.

Je fais défiler des dizaines de pages signées par Ika Murc, je leur montre différents sites.

— Apparemment, il s'intéresse aussi à d'autres stars de la chanson, du cinéma. C'est étonnant ! observe Nina.

— Maintenant ça suffit, je n'en peux plus. On sort ? J'ai besoin de marcher.

— Attends, me dit Jacky. Regarde. Il y a une page sur Eva Trogen. Ika Murc s'intéresse aussi à Eva Trogen.

— Oui, continue Nina. Et Eva semble être sa passion la plus récente, si nous regardons les dates.

Nous naviguons sur des dizaines de pages consacrées à la top-modèle.

— Regardez, dis-je : Ika Murc donne des détails précis sur les problèmes d'Eva avec la drogue. Il donne le nom et l'adresse de l'hôpital en Suède où elle a suivi une cure de désintoxication.

— Et alors ? intervient Nina. Tu sais, aujourd'hui, elles sont nombreuses les stars de Hollywood qui font des traitements pour se libérer de la drogue.

— Bon, ça suffit, dis-je. On arrête. Venez, on sort.

La soirée est agréable. Il fait très doux. Nous marchons tous les trois sur la Croisette. Nous faisons comme les autres visiteurs du festival, nous sommes attentifs à toutes les personnes que nous croisons pour être sûrs de ne pas laisser passer un *people*[46]. Jacky est prêt à photographier les stars en promenade. Nina est de bonne humeur :

— Alex, me dit-elle, tu sais que tu ressembles vraiment à Vincent Perez[47]. Personne ne t'a demandé un autographe ici à Cannes, depuis votre arrivée ?

— Ah ah ah ! Vous savez bien que Vincent Perez ne porte pas de lunettes.

— Attends, tu permets ?

---

[46] Star du show business. La presse qui s'intéresse aux personnalités célèbres du cinéma et de la chanson s'appelle la presse *people*. *L'Avis* est un magazine *people*.

[47] Acteur et metteur en scène suisse. Il a joué entre autres dans « Indochine » et « Fanfan la Tulipe ».

Nina me prend mes lunettes. Je ne vois rien sans mes lunettes.

— Jacky, dit-elle, tu es prêt pour une séance photos ?

Nina se met à crier : « c'est Vincent Perez, c'est Vincent Pérez ! ». Et elle m'embrasse. Jacky, lui, tourne autour de moi en prenant des photos au flash.

— Par ici, Vincent, un sourire !

Le résultat est immédiat : les groupes de promeneurs s'approchent de moi pour me photographier à leur tour. Plusieurs personnes me demandent un autographe mais je ne peux pas signer : je ne vois rien sans mes lunettes. Nina et Jacky rient beaucoup. Quand je récupère mes lunettes, je constate avec surprise que le commissaire Legrand nous observe de loin. Je ne dis rien à mes amis.

Nous nous dirigeons ensuite à pied vers l'hôtel Logeco. Ma vie de star se termine rapidement !

14

Mercredi 14 mai

Nina nous attend à la table du petit-déjeuner. Elle s'est réveillée avant nous et elle est descendue plus tôt. Elle a un grand sourire.

— Qu'est-ce qui se passe, Nina ? demande Jacky.
— Vous avez l'air endormis. Réveillez-vous, messieurs, j'ai une information surprenante.
— Vas-y ! Explique ! dis-je.
— Je sais qui est Ika Murc. Et vous aussi.

— Hein ? Quoi ? s'interroge Jacky.

— Ika Murc. Ce nom a dansé dans ma tête pendant une partie de la nuit. Il ne m'était pas tout à fait inconnu, les lettres qui le composent me semblaient familières.

— Continue ?

— Change l'ordre de ces lettres. Inverse-les : Ika Murc se transforme facilement en Aki Crum. C'est un anagramme.

— Woaw !

— Nous avons identifié le mort du bateau, dit Nina : c'est le fanatique des pages Internet !

— Attends. Tu vas trop vite ! Ika Murc est suédois. Il écrit en anglais mais il est suédois. Et Aki Crum, d'après les conclusions de la police n'est pas suédois, il est finlandais.

— Exact. Mais ce que tu ignores peut-être c'est qu'il y a un petit pourcentage de Finlandais qui parlent le suédois. J'ai vérifié : 5%. Le suédois est même considéré comme langue officielle. Aki Crum fait évidemment partie de cette communauté.

— Bien joué Nina ! dit Jacky. Il reste à savoir pourquoi on l'a tué. Et ça, c'est plus compliqué.

— J'ai peut-être une idée, continue Nina. Ce pourrait être une histoire d'amour, d'amants, de chantage...

— Nous t'écoutons.

— Voilà ! C'est l'histoire d'un acteur américain fou amoureux d'une actrice américaine. Elle est amoureuse, elle aussi, mais elle est mariée et ne veut pas quitter son mari. Elle interdit à son amant de parler de leur relation, de divulguer leur secret. Elle ne veut surtout pas de scandale. Elle menace son amant de mettre fin à leur relation si le secret est découvert. Il promet de garder le secret.

— Tu les appellerais comment ? Jane et Rod, par exemple ?

— Par exemple. Apparaît alors un personnage trop curieux...

— Appelons-le Aki Crum, suggère Jacky.

— Oui : Aki Crum est un type très obstiné. Il s'intéresse à eux et est sur le point de tout révéler. Rod, qui est un amoureux passionné et qui domine difficilement sa violence, dans un moment de folie...

— Nina, dis-je, j'adore ta manière de raconter des histoires, tu le sais, mais je dois t'interrompre. Ton scénario est impossible.

— Pourquoi ?

— Parce que le crime a eu lieu en pleine mer, lundi après-midi, à un moment où Rod faisait une conférence devant toute la presse rassemblée dans le Palais des Congrès.

— Vous en êtes sûrs ?

— Nous n'étions pas présents mais il y avait beaucoup de témoins !

— Ouais, confirme Jacky. En tous cas, Nina, tu as mis en évidence une bonne raison pour assassiner Aki Crum : sa curiosité. Il reste à trouver qui avait des raisons de l'éliminer.

— Retournons sur son web, suggère Nina.

Nous allumons mon ordinateur portable. Nous entrons sur un des sites d'Aki Crum. C'est une page personnelle actualisée. La dernière information concerne Eva Trogen. On y évoque les débuts de la top-modèle suédoise. Il y a de nombreuses photos.

— Elle était beaucoup plus souriante avant, commente Jacky. Maintenant elle a l'air infiniment triste.

— Ah bon ? s'étonne Nina. C'est vrai que vous l'avez interviewée. J'aimerais voir vos photos.

— C'est facile ! On peut les voir sur le portable d'Alex.

Je branche l'appareil photo de Jacky sur mon ordinateur portable et nous voyons la série de photos prises sur le bateau de Frisson. Les photos sont bonnes, Eva semble effectivement triste. Est-ce un style qu'elle recherche ? C'est peu probable.

Je débranche l'appareil photo et je retourne sur la page personnelle de Ika Murc, alias Aki Crum. Une surprise nous attend.

— Regardez, dis-je : pendant que nous étions en train de regarder les photos de Jacky, la page s'est actualisée. Un nouvel article
est sorti ! Il y a un grand titre : « Philippe Frisson : Encore la corruption ! »
— C'est bizarre ! Aki Crum est mort mais ses pages web conti-
nuent sans lui, dit Jacky.
— Il avait sans doute programmé la page pour qu'elle sorte aujourd'hui, poursuit Nina.

Nous lisons les articles. Ils sont mal écrits mais les informations, si elles se vérifient, vont poser de gros problèmes au couple
Frisson-Trogen.
« Frisson a rencontré un haut fonctionnaire suédois et a reçu de
celui-ci des renseignements confidentiels qui lui ont permis d'a-
cheter une entreprise en difficulté pour un prix très bas.»

— Frisson a déjà eu des problèmes avec la justice française. Il
a été six mois en prison pour une affaire de corruption, nous rap- remind
pelle Nina.
— Exact, et c'était probablement plus facile pour lui de continuer ces activités illégales dans un autre pays, dit Jacky.
— Oui, dit Nina, lisez la suite :

« C'est Eva Trogen qui a mis en contact Frisson, l'homme d'affaires recyclé dans le cinéma et le fonctionnaire suédois. L'achat de
l'entreprise est fait au nom d'Eva Trogen. C'est facile à vérifier. »
Voilà ce qu'écrit Aki Crum sur sa page web.
On peut voir quelques photos, prises dans un restaurant, où on
reconnaît bien Frisson, Eva et celui qu'Aki Crum identifie comme
étant le fonctionnaire corrompu.

— Qu'en pensez-vous ? demande Nina.

— Moi, dis-je, ce qui m'impressionne, c'est la page web qui se modifie après la mort de son créateur.

— Oui, dit Jacky, Aki Crum a certainement programmé la publication de ses informations comme une menace, une forme de chantage. Il est mort et il n'a pas eu le temps d'arrêter la publication.

— Voilà toute l'histoire, dit Nina. C'est mon deuxième scénario. Voyons si vous êtes d'accord cette fois : Aki Crum est exagérément fasciné par les stars. Il les suit, les photographie avec une passion et une obstination extraordinaires. Il se prend pour un journaliste exceptionnel. Il passe tout son temps, dépense tout son argent pour ça. Un jour, il photographie par hasard la rencontre entre Eva, Frisson et un haut fonctionnaire de la justice en Suède. Il apprend par la presse que la transaction est suspecte, il comprend qu'il a des photos qui démontrent la corruption et il menace Frisson. Jusqu'ici, est-ce que vous avez des objections ?

— Non, tout ce que tu dis est possible, dit Jacky

— Une chose m'étonne, dis-je. Pourquoi Aki Crum, qui se prend pour un journaliste d'investigation, fait soudain du chantage ?

— Pourquoi ? Parce qu'il a besoin d'argent. Voilà : il a besoin d'argent pour continuer ses activités de pseudo journaliste ! suggère Nina.

— Continue, dis-je.

— Aki Crum vient à Cannes. Il menace Frisson de transmettre l'information à la presse. Frisson perd son sang-froid, il veut lui faire peur.

Jacky intervient :

— Attendez. À propos du sang-froid de Frisson, Alex, tu te rappelles son attitude pendant l'interview. Il s'est fâché quand j'ai pris des photos de son bateau sans son autorisation. Il y avait sans doute une raison.

— Exact, dis-je. Revoyons tes photos, Jacky.

— Tu sais, je n'ai pas eu le temps d'en prendre beaucoup. Frisson s'est fâché immédiatement.

Les quelques clichés du bateau que nous regardons sur mon ordinateur portable montrent de belles perspectives du bateau mais on ne distingue rien d'anormal.

— Alors, dit Nina, il faut retourner au port et prendre d'autres photos.

Je regarde Jacky. Il fait un geste pour dire que c'est effectivement la seule chose à faire.

Quand nous arrivons au port, nous n'allons pas jusqu'au bateau, nous restons à distance pour ne pas être vus. Après une demi-heure d'observation, il nous semble évident que personne ne se trouve à bord. Nous décidons de nous approcher.

Nous montons sur le bateau et nous commençons à l'inspecter en détail. Jacky m'appelle.

— Regardez ! dit-il. Là, on voit la marque d'un choc, d'un accident.

— Le bateau d'Aki Crum que nous avons découvert Alex et moi sur la plage avait également des marques, dis-je.

— Mais oui, ajoute Nina. C'est très clair, tout ça. Écoutez : Frisson donne rendez-vous à Aki Crum en pleine mer, loin des regards indiscrets. Chacun vient avec son bateau. Ils discutent mais ils n'arrivent pas à un accord. Une dispute commence, Aki Crum ne veut pas négocier, il s'en va avec son bateau. Frisson le poursuit avec son bateau plus puissant, plus rapide. Les deux bateaux se touchent violemment, ils s'immobilisent. Les deux hommes se battent. Frisson déséquilibre Aki Crum qui tombe sur la tête et meurt.

— C'est ça ! C'est sûrement ça ! s'exclame Jacky. Tout s'explique.

Et il se met immédiatement à photographier les marques du choc, clairement identifiables sur le bateau. À ce moment, une voiture s'immobilise sur le quai, devant le bateau. Deux hommes en sortent et viennent vers nous : Frisson et Terminator ! Jacky se prépare à combattre le robot. Je regarde Nina, elle a l'air moins décidée. Elle est moins impulsive que Jacky.

— Je vais vous expliquer, dit Frisson, et je suis sûr que vous allez me comprendre. Je suis désolé si je manque de « savoir-vivre » mais je suis obligé de réagir vite. C'est moi qui décide des images que vous allez publier. Vous n'avez pas respecté notre contrat, vous avez pris des photos que je ne veux pas voir publier. Donnez-moi gentiment votre appareil photo, sinon mon ami Frank le prendra par la force.

Nina s'approche de Frisson.

— Qu'est-ce que vous pensez faire de votre bateau ? demande-t-elle.

— Il va partir immédiatement, pour un long voyage, répond Frisson.

— C'est trop tard, monsieur Frisson, dit Nina. Vous avez perdu. Tout le monde saura que vous avez tué Aki Krum. Il est inutile de nous prendre notre appareil photo, il est inutile de transformer votre bateau ou de le faire disparaître.

— Qu'est-ce que vous voulez dire, mademoiselle ? demande Frisson.

— Je veux dire que grâce à Internet, le monde entier peut voir d'autres photos, des photos où vous êtes en compagnie d'un fonctionnaire suédois. Ce sont des photos qui démontrent une corruption. Ces photos-là, vous ne pouvez pas les intercepter.

— C'est impossible !

Une autre voiture s'immobilise sur le port. C'est une voiture de police. Trois agents en sortent, avec le commissaire Legrand à leur tête.

— Monsieur Frisson, désolé de vous interrompre, mais j'ai rendez-vous avec mes amis journalistes. Je voudrais organiser une autre conférence de presse. Vous devriez rester, car je pense que vous êtes concerné.

Frisson regarde Nina.

— Vous avez raison, mademoiselle. J'ai perdu ! Vous êtes plus obstinés que les policiers : je ne peux pas gagner contre les journalistes.

— Bravo, les paparazzi, dit Legrand. Je savais que vous aviez une piste. Je vous observe depuis hier. Vous allez tout m'expliquer.

Je déteste qu'on m'appelle paparazzi, mais comme je dois admettre que Legrand est arrivé au bon moment, je lui pardonne. On a un super reportage pour la prochaine édition de *L'Avis* !

Après la lecture

1. Complétez le tableau.

	Alex	Dulac
A. n'a pas d'imagination		
B. n'a pas l'air en forme		
C. est énervé		
D. est de mauvaise humeur		
E. prend toujours le train pour aller au bureau		
F. a pris un taxi exceptionnellement aujourd'hui		
G. vient d'habitude au bureau à moto		
H. arrive toujours en retard au bureau		
I. arrive toujours à l'heure au bureau		

2. Problèmes techniques ?

	vrai	faux
A. La moto d'Alex ne démarre pas.		
B. Son agenda électronique ne s'allume pas.		
C. Sa montre n'indique pas l'heure exacte.		
D. L'ascenseur de l'immeuble ne fonctionne pas.		

3. Que pense Alex de Nina ?

☐ qu'elle ne le comprend pas.
☐ qu'elle est trop maternelle.
☐ qu'elle l'énerve.
☐ qu'elle est très gentille.
☐ qu'elle ne doit pas prendre de vacances.

4. Répondez aux questions suivantes.

 A. Quels sont les avantages du TGV ?

 B. Citez un inconvénient du TGV pour Alex ?

 C. Quels sont les inconvénients de l'hôtel Logeco ?

 D. Pourquoi Alex et Jacky logent-ils là ?

Chapitre 3

5. Vrai ou faux.

	vrai	faux
A. Les stars sont filmées par 100 caméras.		✓
B. la sécurité du festival est assurée par des caméras de vidéo-surveillance.	✓	
C. Jacky trouve les infos sur l'hôtel Majectic dans le programme du festival.	✗	✓
D. Jacky se trouve aussi séduisant que Philippe Frisson.		✓

Il est plus...

6. Vrai ou faux.

	vrai	faux
A. Eva appelle son garde du corps.		✓
B. Jacky essaie de réveiller Eva Trogen avant de la photographier.	✓	
C. Eva Trogen n'identifie pas immédiatement Alex et Jacky.	✓	✓
D. Jacky se prend pour Jean-Claude Van Dammes		✓
E. Jacky est amoureux d'Eva Trogen.		✓
F. Alex intervient efficacement face à Terminator.	✓	✓

Chapitre 4

7. Dites maintenant tout ce que vous savez sur ~~travaillant~~ Eva Trogen et Philippe Frisson. Utilisez des expressions comme « elle a l'air... », « il semble » quand c'est nécessaire.

Eva Trogen :
Philippe Frisson :

Chapitre 5

8. Répondez aux questions suivantes.

A. Que pense Jacky de l'attitude de la femme qui les suit en voiture ?

B. Quelle est la vraie raison de son attitude ?

C. Pourquoi Alex ne peut-il pas rire ?

Chapitre 6

9. Répondez aux questions suivantes.

A. Alex est-il plutôt sportif ou plutôt paresseux ?

B. Quelle est la particularité des plages où ils font du jogging ce matin-là ?

C. Pourquoi Alex est-il autoritaire quand il parle aux curieux, près du bateau arrivé sur la plage ?

Chapitre 7

10. D'après vous, Dulac est au courant du meurtre parce que/qu' :

☐ il demande à quelqu'un de surveiller Alex et Jacky.

☐ il peut observer la plage depuis Bruxelles grâce à des caméras de vidéo surveillance.

☐ il est complice du crime.

☐ d'autres journalistes ont donné l'information immédiatement.

11. Trouvez un titre choc pour la prochaine édition de *L'Avis*.

Chapitre 8

12. Selon Philippe Frisson...

A	les mannequins	1	sont difficiles
B	les dentistes	2	apprécient son travail
C	les autres comédiens	3	s'équilibrent
D	tous les rôles au cinéma	4	mentent
E	ses succès et ses échecs	5	ne parlent pas

13. L'interview de Philippe Frisson vous apporte des précisions sur ce personnage. Complétez votre premier portrait fait au chapitre 4. Distinguez sa personnalité d'un côté et son parcours professionnel de l'autre.

Prénom :	Philippe
Nom :	Frisson
Personnalité :	
Parcours professionnel :	

Chapitre 9

14. De qui parle-t-on ?

A	a un talent d'acteur.
B	a mauvais caractère.
C	a un look exentrique.
D	est attentif aux jolies femmes.
E	est attentif aux menus.
F	est acteur de cinéma.
G	est un peu psychologue.
H	est un peu dépressif.

Alex	1
Santino	2
Rod Book	3

15. Santino a un look très spécial. Pouvez-vous dessiner son visage ?

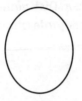

Chapitre 10

16. Vrai, faux ou on ne sait pas ?

	vrai	faux	on ne sait pas
A. La victime s'appelle Aki Krum.	✓		
B. Il est mort avant 18h.	✓		
C. Il s'agit d'un meurtre.	✓		✓
D. Le bateau de la vistime a heurté violemment un obstacle.		✗	✓
E. Les courants ont ramené le bateau vers la côte.	✓		
F. Dulac demande à Alex et jacky de se concentrer uniquement sur le meurtre d'Aki Krum.		✓	

Chapitre 11

17. Quand Nina dit : « C'est le grand confort, je vois. Vous ne m'avez pas dit ça au téléphone. » Cela signifie...

☐ qu'elle est furieuse.

☑ qu'elle est ironique.

☐ qu'elle est contente.

18. Nina se change.

Avant de se changer, elle portait...

- un jeans
- un tee-shirt
- un foulard.

Après, elle met...

- une robe bleu décolletée dans le dos
- des sandales à hauts talons

19. Comment Alex réagit-il à ce changement ?

Chapitre 12

20. Éliminez l'intrus :

Alex est	Santino est	Rod Book est
jaloux	attentionné	distingué
prudent	dragueur	violent
maladroit	menteur	rebelle

21. Qui est Ika Murc ? Notez tout ce que vous apprenez sur ce personnage en faisant des phrases affirmatives et négatives.

Il est... / Il n'est pas...

22. Imaginez que vous adaptez cette histoire au cinéma. Quels acteurs voyez-vous dans les rôles de/d'...

Alex : . . . .
Nina : . . . .
Jacky : . . . .
Eva Trogen : . . . .
Philippe Frisson : . . . .

Chapitre 14

23. Retrouvez l'anagramme correspondant aux mots de la colonne de gauche.

A	fanatique		1	sruetavresbo
B	découvert		2	noisrotxe
C	extorsion		3	reut
D	tuer		4	euqitanaf
E	observateurs		5	trevuocéd

Chapitres 15 et 16

24. Répondez aux questions suivantes :

A. Pourquoi ce titre : « Philippe Frisson, encore la corruption ? »

B. Quel a été probablement le rôle d'Eva Trogen dans cette affaire de corruption ?

C. Pourquoi Aki Krum a-t-il fait du chantage ?

D. Que photographie Jacky ?

E. Que veut faire Frisson de son bateau ?

F. Qu'est-ce qui explique la présence des policiers au port ?

G. Est-ce que Frisson accepte finalement sa défaite ? Que pense-t-il des journalistes ?

Solutions

Les solutions suivies du signe 💡 sont données à titre indicatif.

1. Complétez le tableau.

Dulac : A, D, E, I

Alex : B, C, F, G, H

2. Problèmes techniques ?

A. vrai ; B. faux ; C. faux ; D. faux

3. Que pense Alex de Nina ?

Il pense qu'elle est trop maternelle et qu'elle est très gentille.

4. Répondez aux questions suivantes.

A. Il est rapide et confortable.

B. On n'a pas le temps de voir les paysages.

C. Les chambres sont minuscules, c'est bruyant, l'air conditionné ne fonctionne pas et le quartier est horrible.

D. Parce qu'il n'y a pas de place ailleurs.

5. Vrai ou faux.

A. faux ; B. vrai ; C. faux ; D. faux

6. Vrai ou faux.

A. faux ; B. faux ; C. vrai ; D. vrai ; E. faux ; F. faux

7. Dites maintenant tout ce que vous savez sur Eva Trogen et Philippe Frisson. Utilisez des expressions comme « elle a l'air... », « il semble » quand c'est nécessaire.

Eva Trogen : Elle est jeune, mince, elle a de longs cheveux blonds. Elle a l'air sérieuse. Elle paraît antipathique car elle ne sourit pas. Elle n'a pas l'air très optimiste, elle trouve le milieu des mannequins très dur. Elle a un accent.

Philippe Frisson : Il est plus sociable et souriant qu'Eva. Il est aussi plus âgé qu'elle. Il est grand, musclé et très sûr de lui.

8. Répondez aux questions suivantes.

A. Il croit qu'elle les suit pour entrer en contact avec eux.
B. Elle cherche à se garer et pense que les deux hommes vont chercher leur voiture et s'en aller.
C. Parce qu'il n'a pas d'humour lorsqu'il vient d'être ridiculisé.

9. Répondez aux questions suivantes.

A. Plutôt paresseux. Rather lazy.
B. On n'a pas le droit de s'y asseoir.
C. Parce qu'il sait qu'il y a un mort dans le bateau et que la police va arriver.

10. D'après vous, Dulac est au courant du meurtre parce que...

D'autres journalistes ont donné l'information immédiatement.

12. Selon Philippe Frisson...

A. 5 ; B. 4 ; C. 2 ; D. 1 ; E. 3

13. L'interview de Philippe Frisson vous apporte des précisions sur ce personnage. Complétez votre premier portrait fait au chapitre 4. Distinguez sa personnalité d'un côté et son parcours professionnel de l'autre.

Personnalité :	• il se montre parfois nerveux. • il n'est pas très sentimental. • il a peur des dentistes. • il aime plaisanter.

Parcours professionnel :	• il était chef d'entreprise. • c'était un homme très médiatique. • il est devenu acteur mais la critique ne reconnaît pas son talent. • ses collègues et le public appécient son travail.

14. De qui parle-t-on ?

Alex	E
Santino	A – C – G
Rod Book	B – F – H

15. Santino a un look très spécial.
Pouvez-vous dessiner son visage ?

16. Vrai, faux ou on ne sait pas ?

A. vrai ; B. vrai ; C. on ne sait pas ; D. vrai ; E. vrai ; F. faux.

17. Quand Nina dit : « C'est le grand confort, je vois. Vous ne m'avez pas dit ça au téléphone. » Cela signifie :

Qu'elle est ironique

18. Nina se change.

Avant de se changer, elle portait.

- un jean
- un t-shirt
- des baskets
- un foulard

Après, elle met...

- une robe bleue décolletée
- des sandales à hauts talons

19. Comment réagit Alex à ce changement ?

Il est surpris car ce n'est pas dans les habitudes de sa collègue mais il la trouve très belle ainsi.

20. Éliminez l'intrus.

Santino est dragueur.
Rod Book est violent.
Alex est jaloux.

21. Qui est Ika Murc ? Notez tout ce que vous apprenez sur ce personnage en faisant des phrases affirmatives et négatives.

Il est...
- fanatique des stars,
- spécialiste d'Internet où il publie beaucoup d'articles,
- peut-être suédois ou anglais car il écrit dans ces langues.

Il n'est pas...
- journaliste,
- doué pour l'écriture,
- respectueux de l'intimité des stars.

22. Imaginez que vous adaptez cette histoire au cinéma. Quels acteurs voyez-vous dans les rôles de/d'...

Alex : Vincent Pérez

Nina : Marie Gillain

Jacky : Guillaume Canet

Eva Trogen : Sandrine Kimberlain

Philippe Frisson : Jean-Claude Van Damme

23. Retrouvez l'anagramme correspondant aux mots de la colonne de gauche.

A. 4   D. 3

B. 5   E. 1

C. 2

24. Répondez aux questions suivantes.

A. Il a rencontré un haut fonctionnaire suédois et a reçu des informations confidentielles qui lui ont permis d'acheter une entreprise en difficulté pour un prix très bas.

B. Elle lui a servi d'intermédiaire et peut-être d'interprète avec le fonctionaire suédois.

C. Il a besoin d'argent.

D. Les marques du choc sur le bateau de Frisson.

E. Il veut le faire disparaître.

F. Ils ont rendez-vous avec les journalistes et veulent organiser une conférence de presse.

G. Oui, il l'accepte. Il pense que les journalistes sont plus obstinés que les policiers.